OBÁ NIJÔ

OBÁ

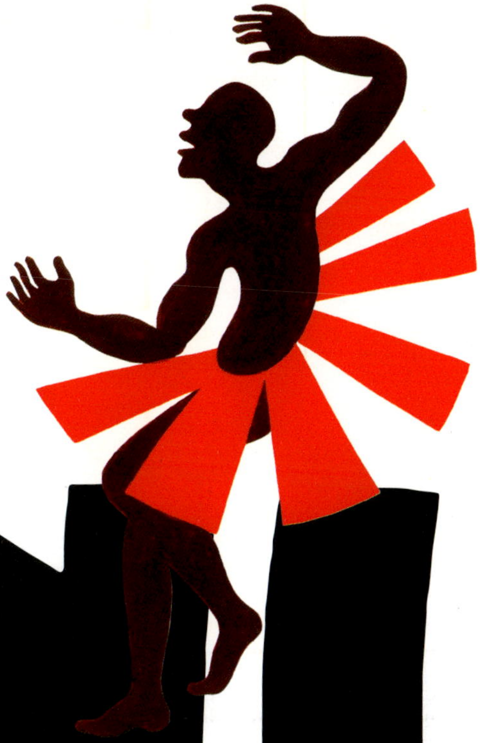

NIJÔ

o rei que dança pela liberdade

Narcimária do Patrocínio Luz ◆ Ilustrações **Ronaldo Martins**

Secretaria de
Políticas de Promoção da Igualdade Racial

Rio de Janeiro, 2014

Copyright 2014 © Narcimária do Patrocínio Luz e Ronaldo Martins

Editoras
Cristina Fernandes Warth
Mariana Warth

Produção Editorial
Aron Balmas
Livia Cabrini

Preparação de originais
Eneida D. Gaspar

Revisão
Dayana Santos

Capa, Projeto Gráfico e Diagramação
Babilonia Cultura Editorial

(Este livro segue as novas regras do Acordo Ortográfico da Língua Portuguesa.)

Todos os direitos reservados à Pallas Editora e Distribuidora Ltda.

É vedada a reprodução por qualquer meio mecânico, eletrônico, xerográfico etc., sem a permissão por escrito da editora, de parte ou totalidade do material escrito.

```
CIP-BRASIL. CATALOGAÇÃO NA PUBLICAÇÃO
SINDICATO NACIONAL DOS EDITORES DE LIVROS, RJ

L9940
    Luz, Narcimária do Patrocínio
       Obá Nijô : o rei que dança pela liberdade
    / Narcimária do Patrocínio Luz ; ilustrações
    Ronaldo Martins. - 1. ed. - Rio de Janeiro :
    Pallas : Biblioteca Nacional, 2014.
       56 p. : il. ; 23 cm.

       ISBN 978-85-347-0528-8 (Pallas Editora)
       ISBN 978-85-333-0746-9 (Biblioteca Nacional)

       1. Cultura afro-brasileira - Ficção infantojuvenil
    brasileira. I. Martins, Ronaldo. II. Título.

14-17851                          CDD: 028.5
                                  CDU: 087.5

22/09/2014      25/09/2014
```

Pallas Editora e Distribuidora Ltda.
Rua Frederico de Alburquerque, 56 – Higienópolis
CEP21050–840 – Rio de Janeiro–RJ
Tel/fax: 21 2270–0186
www.pallaseditora.com.br
pallas@pallaseditora.com.br

Esta publicação foi realizada com recursos do Edital de Apoio à Coedição de Livros de Autores Negros, da Fundação Biblioteca Nacional, do Ministério da Cultura, em parceria com a Secretaria de Políticas de Promoção da Igualdade Racial da Presidência da República - SEPPIR/PR.

 MINISTÉRIO DA CULTURA
Fundação BIBLIOTECA NACIONAL

Presidência da República
Dilma Rousseff

Ministério da Cultura
Marta Suplicy

Presidente
Renato Lessa

Diretora Executiva
Myriam Lewin

Centro de Pesquisa e Editoração
Marcus Venicio Ribeiro

Coordenadoria de Editoração
Raquel Fabio

Presidência da República

Secretaria de Políticas de
Promoção da Igualdade Racial - SEPPIR/PR

SUMÁRIO

Ojá: *o mercado está em festa com o anúncio do nascimento do rei* 10

Okun Odo: *dançando com as Iyás Agbás, as mães ancestrais* 16

Igbo: *dançando com a floresta* 22

A dança pela liberdade 36

Glossário 46

A história que você vai conhecer foi inspirada em fatos reais e aconteceu muito tempo atrás, num lugar muito lindo e especial no nordeste do Brasil, conhecido como *Itapuã*, na cidade de Salvador, na Bahia. A origem do nome *Itapuã* é tupi-guarani. *Ita* significa pedra, e *puã*, ronco, gemido.

Itapuã faz referência a uma grande pedra erguida acima das águas, na margem do oceano, que tinha no seu interior uma cavidade que permitia a entrada da água do mar. Quando a maré ia vazando devagarinho, um grande ronco se expandia de Itapuã até outros bairros de Salvador.

Na sua história, Itapuã abrigou muitos quilombos, que implantaram o modo de vida africano. Em geral eram organizados nas matas e dunas envolvendo a lagoa do Abaeté e toda a sua extensão.

É nesse espaço de quilombos em Itapuã que, no século XIX, nasceu e cresceu um menino que se tornou um grande guerreiro na história da Bahia, porque lutou para devolver a liberdade ao seu povo. O nome dele, nessa história que você lerá, é *Obá Nijô*, que na língua iorubá significa *o rei que dança*.

Na tradição africana, o rei deve ter o dom da dança! Todos admiram e respeitam a liderança de um rei que tenha capacidade de dançar agregando pessoas, transmitindo afeto, solidariedade, alegrias, dramatizando a vida, ensinando valores que promovem alianças e trazem a harmonia na comunidade.

A dança do rei sempre está em sintonia com as forças da natureza, representadas pelos orixás, e também com as dos ancestrais. Todas essas forças inspiram o rei, dando-lhe a capacidade de comando para que a comunidade se fortaleça e se expanda. A liderança de Obá Nijô, através da dança, fez com que a população de africanos e seus descendentes em Itapuã conquistassem a liberdade que foi retirada pela escravidão.

A todo tempo os africanos e seus descendentes disseram:

— Escravidão, não!

Em Itapuã havia armações de pesca que utilizavam a exploração de africanos escravizados. Foi nesse cenário de sofrimento e dor, causado pela escravidão que Obá Nijô organizou uma grande rebelião que incentivou a realização de muitas outras na Bahia do século XIX, reunindo guerreiros de várias etnias africanas, de diferentes lugares de Salvador e do Recôncavo.

A liberdade alcançada pelos afro-brasileiros hoje, deve-se a essas gerações de quilombolas que desde o século XVI implantaram formas de enfraquecer o sistema escravista, exigindo o direito à liberdade inclusive dos seus descendentes. Então se preparem para conhecer essa emocionante história!

OJÁ

O mercado está em festa
com o anúncio do nascimento do rei

Itapuã era cercado pelo mar, por rios, dunas e matas que têm bichos de tudo quanto é espécie. Há também um grande mercado, o Ojá, como é conhecido pelo povo iorubá. Pois bem, o Ojá é um lugar importante, pois foi através dele que Itapuã surgiu, transformando-se numa vila que vivia também da produção das armações de pesca.

O Ojá é um lugar importante na vila, pois lá circulam variedades de mercadorias, trocas, dinheiro, notícias dos quatro cantos do mundo. É onde acontecem encontros, contam-se histórias sobre a fundação das cidades e das famílias fundadoras de Itapuã, enfim, é um lugar muito divertido, movimentado, colorido, repleto de cores, odores e sabores que sustentam a vida.

No mercado circula Exu, força, princípio que governa o mercado e toda circulação de vida que ele contém. Exu, princípio da comunicação, organiza e dá ritmo ao mercado, daí o nome de Olóoja, o dono e senhor do mercado. Os caminhos que atravessam o mercado, se encontram formando encruzilhadas, que têm a presença do Olóoja e são pontos importantes para que a comunicação aconteça entre as pessoas.

No mercado, as pessoas andam por variados caminhos repletos de aromas, sabores, texturas, formas, cores... Encontramos peixes e mariscos, coco, azeite de dendê, gengibre, ovos, linguiças, amendoim, cebola branca, feijão-verde e andu, peixe seco no espeto, toucinho, fubá de milho, objetos em cerâmica, cabeleireiros, adivinhos, ervas medicinais, comidas e bebidas variadas, jogos, músicas, danças, castanha de caju, frutas diversas, verduras, maniçoba, moqueca de peixe, moqueca de camarão, sarapatel, mocotó, feijoada, meninico de carneiro, obi, orobô, os búzios da Costa, contas, coral, sabão da Costa, pimenta da costa, bolinhos de aipim, milho cozido e assado, acaçá, acará, inhame, balaios, esteiras, fumo de corda, cordas de embira e de piaçaba, mocós, aves e outros bichos, quartinhas, adereços, emblemas, vestuários, capoeiras, músicos, poetas...

Enfim, o mercado todos comentavam com satisfação sobre o nascimento de Obá Nijô. É nesse ambiente do mercado que toda Itapuã toma conhecimento e se enche de alegria ao saber do nascimento de Obá Nijô, filho de Ologbon, um africano conhecido como o dono da sabedoria, e de Ayó, uma africana cujo nome significa alegria.

Toda a comunidade estava em festa aguardando o nascimento da criança, cuja vinda era anunciada pelas ondas do mar, pelas águas que correm cintilantes nos rochedos, pelo vento que acariciava as folhas das árvores, pelos cantos dos pássaros e seus voos animados.

Uma grande fogueira foi armada no centro da vila, aguardando a noite chegar para começarem as comemorações que só poderiam acontecer nesse horário, o único em que a repressão do feitor e dos capitães do mato que serviam aos donos das armações de pesca diminuía um pouco.

O clima de expectativa pela chegada dessa criança, esperada para ser líder, trazia muita euforia entre os moradores de Itapuã.

A pedra Itapuã roncou inquieta! O ronco de Itapuã soava forte, dando ritmo aos atabaques que percutiam a música que embalava as danças na beira da praia. As mulheres prepararam uma mesa farta com iguarias feitas com frutos do mar e da terra.

Tudo em volta comunicava a alegria da chegada do pequenino Obá Nijô!

O babalaô comunica a todos que Obá Nijô nasceu, e que o seu destino é aproximar as pessoas das histórias dos ancestrais, para que nunca esqueçam suas origens, animando todos a nunca desistirem do direito à liberdade de SER.

— Escutem todos! Esse menino veio ao mundo com um dom valioso. Esse dom trará para todos nós o orgulho e altivez que precisamos para alcançarmos nossa liberdade — disse o babalaô.

Ologbon e Ayó, radiantes com o nascimento do filho, consultando o babalaô sobre o destino do filho, deram-lhe o nome de Obá Nijô, que significa "aquele que carrega no seu coração e em todos os sentidos do seu corpo o ritmo, o compasso e a cadência da dança que nasce no alvorecer da humanidade".

É o menino que carrega as danças dos ancestrais! O rei que dança assegurando a continuidade e integridade da comunidade.

Todos comemoram cantando, dançando...

— Bem vindo, Obá Nijô! — Diz o arokin, o contador de histórias, pessoa muito importante e respeitada por essa função que desempenha na comunidade. Ele representa a memória viva, a história viva de cidades, reinos, comunidades, famílias, linhagens e instituições. As histórias apresentadas pelo arokin são poéticas e dramatizadas.

E assim, o arokin, começa a contar para toda a comunidade a história dos antepassados, africanos e africanas, que renascia em Obá Nijô.

Obá Nijô!
O rei que nasce trazendo consigo
A dança que comunica a esperança
A liberdade para a sua comunidade.
Obá Nijô!
Dança a continuidade da herança dos nossos ancestrais
Dança que traz a lembrança de tempos imemoriais
O rei que dança as histórias de um mundo extraordinário
Obá Nijô!
Corpo em movimento

**Pés, mãos, cabeça...
Muitas tranças, esculpindo no ar tempos de bonança
e confiança
Na liderança do menino rei que com muita habilidade
Cria laços de amizade e solidariedade
Dando orgulho a toda a comunidade
Obá Nijô!
Dança criando as alianças que promovem mudanças
Coração bate forte diante do mistério da vida
Dança trazendo a memória viva dos povos da África
Salve Obá Nijô!**

Foi com essa recepção calorosa e cheia de afeto, através da dramatização poética do arokin e de toda a comunidade, que chegou Obá Nijô!

Assim o menino cresceu cercado com muito carinho e cuidado de todos, aproveitando os ensinamentos dos mais velhos, aprendendo conhecimentos profundos dos ancestrais sobre a vida que vinha do mar, dos rios, das dunas e das matas, na convivência com os bichos da terra, da água e do ar.

Obá Nijô aprendeu os segredos e mistérios, legado dos antepassados, e, desde criança, sabia que seu destino era proteger seu povo, e a dança era o dom, a força guerreira que ele carregava.

OKUN ODO

Dançando com as Iyás Agbás, as mães ancestrais

Todos os dias Obá Nijô ia com as outras crianças para a praia acompanhar seu pai e os pescadores de Itapuã para ajudar na puxada de rede, na seleção dos peixes para compartilhar na comunidade, limpar a rede e ajudar a remendá-la.

Seu pai, Ologbon, era um exímio pescador e assumia a função de mestre da terra, o responsável por organizar a chegada dos peixes na beira da praia e o comércio dos frutos do mar no mercado, e por prestar contas ao dono da armação de pesca.

A mãe de Obá Nijô, Ayó, e as outras mulheres de Itapuã, trabalhavam como ganhadeiras, vendendo peixes e quitutes, e também como lavadeiras no Abaeté.

Com seu pai e os mais velhos, aprendeu todas as cantigas e as danças que homenageiam as Iya Mi Agbá, as mães ancestrais, e as cantigas da puxada de rede.

Certa vez, Obá Nijô corria pela praia quando ouviu lá do fundo do mar uma voz doce chamando pelo seu nome.

— Obá Nijô! Obá Nijô! Menino rei que tem o dom magnífico da dança ancestral. Cante e dance para mim.

Ele parou, surpreso, e pensou: como uma voz vinda do mar conhecia seu nome e sabia que a dança era a sua força?

Quando ele ouviu novamente seu nome, entendeu que era Iemanjá, a mãe dos filhos-peixe, que o estava observando.

Assim fez Obá Nijô. Lembrou dos ensinamentos das canções e danças que aprendeu com seu avô e seu pai, e cantou com o coração cheio de alegria.

Iyalode ire se	Iyalode que faz coisas boas
Oni e Iemanjá	É Iemanjá
A potapel egbé	A mais alta do egbé
A oro	Nós fazemos rituais em homenagem
Iyá odorofin	Mãe do rei
Aso yê yê	Roupas que contém pássaros

Ele dançou como aprendeu desde pequenino. Transformou-se num filho-peixe!

Mergulhou no mar e fez seu corpo dramatizar os movimentos das ondas do mar, as reviravoltas da água, às vezes fraquinha, outras intensa; imitava o nado dos peixinhos a sua volta...

A leveza e elegância da sua dança cativava, emocionava...

Quando ele parou de dançar e cantar, abraçou o mar e recebeu de Iemanjá o axé para fortalecer seu corpo e espírito..

No final, Iemanjá, muito orgulhosa de Obá Nijô, advertiu:

— Que bom, meu filho, saber que você conhece a sua força e sabe usá-la com a sabedoria dos ancestrais. Prepare-se porque você vai precisar dela para assegurar a alegria e a liberdade de seu povo. Nunca esqueça que você nasceu para ser rei. A sua dança lhe dá autoridade e respeito de um rei. Você dança como um poderoso rei africano! Uma coisa importante: não comente com ninguém o que aconteceu aqui. Esse é o nosso segredo. Se você contar para todo mundo, você perderá a força que lhe foi trazida do fundo do oceano e que lhe dará ânimo e condições para libertar um dia seu povo.

A alegria de ter deixado Iemanjá orgulhosa fez com que Obá Nijô chegasse em casa eufórico, deixando todo mundo curioso, mas ele teve a cautela de não revelar o mistério que viveu no mar.

Alguns dias depois, Obá Nijô foi com outras crianças da comunidade tomar banho de rio e cachoeira. Muitas brincadeiras envoltas em sorrisos deram o tom desse encontro nas águas correntes e cristalinas do rio.

Quando já estava se despedindo de seus amigos no rio, Obá Nijô ouviu uma voz muito serena e doce chamando-o, igual à experiência que ele teve na praia. Só ele ouvia, e seus amiguinhos nem prestaram atenção quando ele se distanciou para ficar mais perto da cachoeira.

— Obá Nijô! Obá Nijô! Cante e dance para mim.

Ele olhava admirado para a cachoeira de onde vinha a voz e reconheceu Oxum.

Obá Nijô atendeu prontamente o pedido de Oxum, lembrando-se das cantigas e danças para Oxum que os mais velhos lhe ensinaram.

Ô igi igi ota omi ô	A pedra da água é poderosa
Ô igi igi ota omi	A pedra da água é poderosa
Iyá agbá odô	Mãe ancestral do rio
Igi igi a okun maa	Seus filhos saúdam seu poder
Ô igi igi ota omi	A pedra da água é poderosa
Ora iê iê ô!	

Foi assim que Obá Nijô dançou para Oxum, mergulhando no rio. Todo o seu corpo se transformou, assumindo o ritmo e movimentos que lembravam a correnteza e as magníficas quedas-d'água.

Ah! Que delícia é dançar com a força da correnteza das águas do rio e com as quedas-d'água!

Quando terminou de cantar e dançar, mergulhou no rio e se banhou na cachoeira, recebendo as bênçãos de Oxum.

Oxum lhe disse:

— Não esqueça que você carrega, no seu coração e no seu corpo, a força das águas do rio e toda a vida que nele corre. Você vai precisar um dia dançar como o rio para preservar a vida e a liberdade de seu povo.

Oxum lhe fez a mesma recomendação de Iemanjá.

— Não comente com ninguém o que aconteceu aqui.

Obá Nijô entendeu que esse segredo das Iyás Agbás era para assegurar o axé que ele precisaria para continuar dançando e, através da dança, tornar-se um dia um importante guerreiro que dança pela liberdade.

IGBO

Dançando com a floresta

A floresta igbo é outro lugar muito especial na vida de Obá Nijô. Nela, ele se aproximou dos mistérios que lá existem, aprimorando ainda mais a sua habilidade de dança.

Na floresta, Agemó, o camaleão, animal muito importante nas histórias de origem do povo iorubá, o observava do alto de uma árvore e aproximou-se dele.

— Psiu! Psiu! Obá Nijô! Ô, Obá Nijô!

— Oxente! Quem me chama?

— Sou eu, Agemó! Aqui em cima da árvore!

— Olá, Agemó!

— Passeando por aqui, Obá Nijô?

— Eu estou querendo fazer um berimbau e um xequerê. Vim buscar aqui na floresta a biriba e a cabaça para poder fazer esses instrumentos.

— Mas o que você sabe da floresta, Obá Nijô?

— Sei que ela carrega muitos mistérios. Mas do berimbau sei muito... Você sabia que o berimbau é um dos instrumentos mais antigos do mundo? Os mais velhos de Itapuã disseram que ele surgiu 15 mil anos atrás antes de Cristo e muitos povos da África utilizaram o berimbau.

— Hum... Interessante. Meu amigo Ogum já tinha me falado sobre isso.

— Outra coisa curiosa: os mestres da roda de capoeira me disseram que ele se originou a partir das observações feitas por caçadores ao ouvir o som produzido pela corda presa ao arco quando eles disparavam a flecha. Sabe, Agemó, na capoeira o berimbau é conhecido como o primeiro Mestre!

— Muito bem! Mas me diga uma coisa. Como é que você aprendeu a fazer o xequerê? — pergunta Agemó.

— Ah! O xequerê? É feito com a cabaça e as sementes encontradas aqui na mata.

— É, aqui tem muita cabaceira! — disse Agemó.

— Quando chocoalhamos as sementes da cabaceira, faz um som e ritmo que faz a gente dançar homenageando as Iyás Agbás, as nossas Grandes Mães Ancestrais que representam o poder da fertilidade feminina, a maternidade.

— Muito bem! A cabaça representa o ventre feminino, e as sementes, os óvulos que fecundados geram os seres humanos. Sabe, Obá Nijô, estou muito satisfeito em saber que você recebe, na sua família e comunidade, conhecimentos muito importantes que lhe fazem ter orgulho do legado dos seus antepassados. Todo esse conhecimento é milenar! Sabia?

— Aham. — Obá Nijô responde com um sorriso, balançando suavemente a cabeça, concordando com Agemó.

— Pois é. Quando encontramos essa árvore cabaceira, retiramos seu fruto, a cabaça, e aproveitamos para fazer o berimbau. Depois quando abrimos o fruto, retiramos as sementes.

— Os mais velhos na comunidade lhe explicaram que as sementes devem ser jogadas na terra para voltarem a semear outras árvores cabaceiras? — pergunta Agemó.

— Sim! E com as sementes coloridas e a linha que meu pai usa para fazer a rede de pesca, que é muito resistente, vou pacientemente fazendo a tela que vai revestir o xequerê, que faz um som e ritmo maravilhosos quando chocoalhamos nas mãos as sementes.

— É mesmo? E você acha que só isso lhe dá autorização para entrar aqui e pegar o que quiser? — pergunta Agemó.

Com um olhar surpreso, Obá Nijô pergunta a Agemó:

— Como assim?

— Olhe, vou lhe dizer uma coisa, Obá Nijô. A floresta é muito mais do que você pensa. Preste atenção. Quando Oxalá, orixá que representa o ar, veio a este mundo, criou os seres humanos e para cada ser humano criou uma árvore. As árvores representam os ancestrais e são elas as responsáveis pela relação entre os seres humanos e a natureza.

— Nossa!

— Os frutos do dendezeiro, por exemplo, são utilizados como instrumentos de Ifá para consultar os orixás e saber dos destinos dos seres humanos. Com as folhas tenras desfiadas do dendezeiro, se faz o mariô, muito utilizado no culto dos ancestrais masculinos. As folhas também representam filhos, descendência, e as taliscas do dendezeiro, de onde as folhas se desprendem, representam os ancestrais.

— Conte mais, Agemó!

— As árvores são as responsáveis pela purificação do ar para que os seres humanos tenham uma vida saudável, não é verdade?

— Sim.

— Na floresta habitam os espíritos ancestrais e acontecem as iniciações das crianças que, depois de aprenderem os conhecimentos da floresta, saem dela rapazinhos e mocinhas. A floresta é sagrada, Obá Nijô!

— Eu sei. Tenho primos e primas que vieram aqui aprender com a floresta, Agemó!

— Para andar na floresta é necessário fazer uma iniciação, pois você vai conhecer o segredo infinito que mora por aqui. Seus pais sabem que você veio à floresta? (A família de Obá Nijô estava preocupada com o sumiço dele, mas, consultando o babalaô, se tranquilizaram quando souberam que ele estava bem e sendo cuidado pelas entidades da floresta.)

— Não, Agemó — disse o menino.

— Mas deveriam saber, pois você está no lugar mais profundo da floresta, o lugar da iniciação. Para sair, terá que aprender a lidar com os mistérios que vivem aqui.

— Está bem, Agemó. E agora?

— Fique tranquilo que tudo vai dar certo, mas para isso vou pedir uma ajuda a Ossâim. Vou lhe apresentar a ele, que tem muito conhecimento sobre as plantas, as folhas, as flores, a textura

e o odor de cada uma, reconhece as ervas que curam e sabem o segredo do solo onde as plantas crescem.

— Que legal! Mas será que vou conseguir aprender tanta coisa importante?

— Não se preocupe. Tudo, tudinho sobre a vegetação da floresta ele sabe e vai ter paciência para lhe ensinar. Vou chamá-lo. — respondeu Agemó.

— *Kosi Ewe Kosi Orixá* (Sem folha não há orixá).

— Olá, amigo Agemó! Em que posso ser útil?

— Este é o menino Obá Nijô, filho de Ologbon. Ele veio desavisado sobre os mistérios da floresta e, para sair dela e voltar para Itapuã, precisa aprender a lidar com os segredos e mistérios que existem por aqui. Você o ajuda?

— Claro que sim!

— Olá, Obá Nijô! Eu vivo aqui na floresta e cuido dos segredos e mistérios das plantas. Sinta a chuva, Obá Nijô! Venha dançar comigo na chuva!

— Que delícia! Nunca tinha dançado assim na chuva!

— Sinta o cheirinho de terra molhada. A chuva carrega o mistério que dá vida à floresta porque ela fertiliza o solo, dando força às árvores e a todas as espécies de plantas, ajudando-as a se desenvolverem. Não é magnífico?! Está vendo como as folhas e flores se abrem sorrindo? É chuva e terra!

— É mesmo, Ossâim! Terra e chuva!

— Chuva que fecunda a terra.

— Dance, Obá Nijô! Sinta o encontro de dois poderes que geram a vida na floresta!

— Obá Nijô, continue dançando para conhecer o poder da terra molhada, a terra que dá frutos, a terra que gera vida.

E assim fez Obá Nijô. A cada movimento, esbarrava nas folhas molhadas, fechava os olhos e sentia o aroma das flores, pulava de

alegria com o corpo encharcado e encantado pelo toque das gotas às vezes fortes, às vezes fracas, fazendo-o balançar, bater palmas, rodopiar, pular, reconhecer as clareiras que havia na floresta.

Na dança com a chuva e a terra, Obá Nijô utiliza a cadência e o ritmo que lhe dão equilíbrio fazendo seu corpo entrar em sintonia com as forças da vida na floresta. Obá Nijô ora dança com as folhas, ora dança com as flores, ora com as raízes e com os frutos e sementes que tomam toda a floresta.

Ossâim apresenta Obá Nijô ao passarinho que é seu mensageiro e sempre o acompanha. Eles escutam com atenção seu canto, que traz notícias do fundo da floresta.

O pássaro diz a Ossâim que encontrou a folha que ele estava procurando para preparar um poderoso remédio que trará mais vida e alegria para a humanidade.

— Tenho que ir, Obá Nijô.

Agemó, vendo que Ossâim já está partindo, lembra-lhe de indicar a Obá Nijô o caminho que ele precisa fazer para encontrar outra figura importante na floresta: Oxóssi, patrono da caça, que guarda também a sabedoria que lhe permite conhecer os mistérios da floresta, da mata virgem.

Ossâim dá as dicas de onde encontrar Oxóssi e vai embora. Obá Nijô vai com muita cautela encontrar Oxóssi, e não demora muito...

— Olhe ele lá!

Oxóssi está se aproximando cheio de manha, devagarzinho, com cuidado, para caçar um tatu-bolinha, segurando com destreza seu arco e flecha.

Mas ao ver Obá Nijô ele se assusta.

— Oxente, meu amigo! Como é que você entra na mata assim sem avisar? Isso aqui é lugar para quem tem muita sabedoria sobre a floresta! Quem é você? De onde vem e pra onde vai?

— Desculpe, não queria assustar nem fazer-lhe perder a concentração. Eu sou Obá Nijô e entrei na mata para pegar biriba e cabaça para fazer um berimbau, mas aí encontrei Agemó e Ossâim que me falaram de você. Inclusive Agemó me falou sobre seu conhecimento da arte que cria o berimbau.

— E daí?

— Daí que para sair da floresta eu tenho que aprender sobre os mistérios e segredos dela antes de voltar para Itapuã, já que entrei aqui desavisado.

— Ah! Agora entendi. Como você veio recomendado pelos meus amigos, vou lhe dar a atenção merecida. Está com fome?

— Estou, sim.

— Então sente para comer aqui um moqueado de carne.

— Oxóssi, o que é que você tanto faz na floresta?

— Ah! Eu venho sempre à floresta e passo a maior parte do tempo para procurar alimento e levar para o nosso povo. Como fico muito tempo, aprendi muito sobre as folhas e seus poderes de cura. Sou responsável e tenho muita sabedoria para encontrar lugares que tenham fartura de água, terra boa, vegetação boa para fazer uma roça e ajudar a cidade a crescer.
Sou um guerreiro! Com meu arco e flecha faço a guarnição da cidade à noite, principalmente.

— Nossa! Quanta responsabilidade.

— Sou amigo dos animais também! Todos têm valor e são importantes para a história da humanidade. Vou lhe ensinar algumas coisas sobre o valor dos animais. Como vivo também na África, vou lhe falar de alguns animais que sempre encontro por lá.

— Que animais?

— Por exemplo, o erin, o elefante, representa os anciãs e nele está a força, prosperidade, longevidade, sabedoria, sensatez, moderação, eternidade e comunidade. Ajapá, o jabuti, também está relacionado a antiguidade, a persistência: o casco arredondado e a base dele fazem alusão ao universo, ao ventre fecundado capaz de

guardar e gerar muitos filhos. Ele também está associado a sabedoria, a longevidade, força e rigidez, proteção como uma casa, um abrigo seguro.

— É mesmo! Nunca tinha reparado essas características do ajapá.

— Alégbá, o jacaré, representa fertilidade e poder. Sua morada envolve a terra e a água que, misturadas, geram a lama. A lama representa Nanã, orixá que tem o poder e mistério sobre o interior da terra, e sua morada são os lagos e lagoas. Erun, a formiga, representa previdência, disciplina, prudência, fartura, hierarquia, fertilidade, cooperação.

— E o tatu-bolinha que você estava querendo caçar?

Oxóssi deu uma boa gargalhada.

— Esse aí é muito esperto também. Ele evita o combate assim de frente. É cheio de artemanhas, é sábio porque guarda estratégias de luta para manter sua vida. É um animal que tem um movimento de defesa que o faz enrolar, ficando com a forma de uma bola diante de uma situação perigosa.

— Olha lá! Olha lá!

— Viu?

— Não!

— Psiu! Observe quietinho. Pegue aqui esse arco e flecha e venha comigo caçar.

— Mas eu não sei caçar, só sei dançar.

— Como não! Você não joga capoeira e sabe fazer e tocar berimbau? Então, como não sabe caçar? O bom caçador e guerreiro dança capoeira, usa o arco e flecha como se estivesse tocando o berimbau, pois o som emitido pela flecha no arco cria a música que faz dançar o caçador, dando-lhe a força para realizar seu trabalho. Para caçar tenho que dançar a capoeira com todas as forças e inspirações que vêm da floresta. A capoeira, Obá Nijô, não é só luta, ela representa a arte de dançar.

Neste momento começa uma verdadeira coreografia de Oxóssi e Obá Nijô.

É a dança da caça, do guerreiro...

Ambos balançam o corpo se esquivando, abaixando, arrastando o corpo como uma cobra na terra, com a malícia que imprime um silêncio na floresta. As mãos seguram com firmeza o arco e a flecha...

Imprimem uma velocidade nos gestos em movimentos circulares que têm pulos como a malícia de um gato, rodopios... Os dois estão em constante movimento e com os olhos e ouvidos atentos. O tato e o olfato também ficam em alerta no contato com as plantas, a terra... Se disfarçam como o tatu-bolinha numa camuflagem espetacular. Eles seguem com cadência, ritmo e compasso as pegadas do animal e sentem o cheiro da caça.

Assim Oxóssi e Obá Nijô dançam rasgando o espaço, desafiando a lei da gravidade, dando aús, rasteiras, voando de um lado para o outro como pássaros leves e velozes, mas também fazem movimentos lentos como o cágado. É uma dança que lembra a capoeira.

— Que legal! — exclamou Obá Nijô.

É com esse entusiasmo que eles conseguem capturar uma grande onça suçuarana com pelo dourado. Um belo animal! Oxóssi e Obá Nijô se abraçam em meio a sorrisos, comemorando o sucesso da caçada.

A onça vai ser compartilhada entre todas as famílias de Itapuã e sua pele, transformada em capa, será ofertada ao guerreiro Ologbon, o dono da sabedoria, pai de Obá Nijô.

Obá Nijô retorna para Itapuã, já rapazinho, mais maduro e compenetrado sobre seu destino como líder do local.

Apaixonou-se por uma linda jovem de nome Adebomi, que na língua iorubá significa realeza, e tiveram um casal de filhos: Bayó (alegria encontrada) e Kanoni (pequeno pássaro).

ssim cresceu Obá Nijô, aprendendo o conhecimento sobre a vida e as origens de seu povo com os mais velhos. Era muito respeitado e querido por todos, principalmente quando dançava homenageando os ancestrais, encantando e emocionando a todos.

Eram dias de muita alegria em Itapuã quando Obá Nijô chegava. No mercado, então, todos paravam para admirar-lhe a graça, dançando em homenagem a Olóoja, o princípio que promove a vida e que dá ritmo ao mercado-Exu.

Obá Nijô colecionava conchas e sempre presenteava as mulheres da cidade com elas. Um dia ele foi à praia buscar conchas para dar de presente à sua mãe Ayó. Era o dia do aniversário dela e uma grande festa estava sendo preparada.

Obá Nijô preparou um lindo cesto, confeccionado por ele com fibras colhidas na floresta, e nas bordas colocou flores amarelas perfumadas. Ele foi para a praia com toda a alegria e amor de um filho que admira a mãe e com o desejo de deixá-la radiante de alegria como sua natureza.

Ele já imaginava o momento de presenteá-la.

Mergulhando no mar, ele encontrou conchas lindas, de vários tamanhos, cores e formas.

Mas não esqueçam que a família de Obá Nijô vivia aprisionada na escravidão da armação de pesca em Itapuã.

Quando voltava para casa, ele soube que o "coronel", dono da armação pesqueira, tinha visitado Itapuã e ficou contrariado com a altivez dos seus escravos que desobedeceram as suas ordens, organizando oferendas para as águas, homenageando Iemanjá e Oxum.

Obá Nijô encontrou vários amigos seus e alguns mais velhos acorrentados, sofrendo castigos do feitor e seus subordinados.

Desesperado ao ver aquela situação, Obá Nijô, não se conformou em ficar quieto.

Foi em cima do feitor e arrancou-lhe o chicote com todas as forças que tinha.

No mesmo instante, foi aprisionado e amarrado ao tronco, e também recebeu muitas chibatadas.

Sua mãe Ayó e seu pai Ologbon sofreram muito ao ver o filho e os amigos passando por toda aquela humilhação.

Esses castigos eram constantes na armação em Itapuã. Aquele foi o momento em que Obá Nijô decidiu que uma das metas da sua vida seria lutar para libertar seu povo das perversidades do sistema escravista.

Depois daquele dia, Obá Nijô não foi mais o mesmo.

Vendo que todos os dias os castigos e humilhações à sua gente continuavam, ele foi aperfeiçoando o seu poder que era a dança, tornando-se um homem de muito conhecimento da filosofia africana nagô.

A população da Bahia do tempo de Obá Nijô, início do século XIX, era predominantemente africana e, em sua maioria, jovens sequestrados pelo tráfico escravista, uma população escravizada formada mais por homens do que mulheres.

Aos 22 anos, Obá Nijô foi confirmado como um alto sacerdote nagô, integrando a alta hierarquia da comunidade, e com isso assumiu a responsabilidade de zelar pelo culto às forças cósmicas que regem o universo, tradição importante para manter fortalecida a comunidade.

Obá Nijô, com sua dança, tornou-se uma forte liderança respeitada. Todos os cantos de Salvador e Recôncavo conheciam e respeitavam o africano-brasileiro nagô Obá Nijô.

Os cantos ou aros eram os lugares na cidade onde os africanos da Bahia, que viviam como "ganhadores de rua", ficavam à espera de fregueses. Eles se organizavam de acordo com as etnias e realizavam vários tipos de serviços: marceneiros, lavadeiras, vendedoras de quitutes e especiarias africanas, carregadores de móveis, sapateiros, alfaiates. Os cantos davam nomes a ruas, largos e ladeiras, e neles circulavam músicas, danças, capoeira, filosofia africana, contos, orikis, provérbios, mitos, notícias de todos os recantos da Bahia e do Brasil. Os cantos eram espaços de festas, celebrações e também de organização de rebeliões.

Nos cantos, os africanos organizavam caixas para empréstimos visando a compra de alforrias ou para fundar suas instituições como os terreiros, samba de roda, afoxés, irmandades, enfim, mantendo assim os laços que fortaleciam as histórias da população negra desde a África.

As ganhadeiras, que eram mulheres negras dedicadas ao trabalho na cidade, organizavam feiras livres e quitandas, onde vendiam produtos africanos, alimentos crus ou cozidos, dentre eles: moquecas de peixe, lagosta e camarão, bobó de camarão, maniçoba, angu de milho e tapioca, acaçás, arroz de hauçá, carne-seca frita com molho de pimenta, bolinhos de inhame, carne de baleia assada, inhames cozidos, xinxim de bofe, caruru de folhas, abará, acarajé, infinidades de iguarias.

Além de sua presença nos cantos, Obá Nijô também frequentava e colaborava com os quilombos que existiam em Itapuã, muitos deles organizados por gerações de descendentes de antigos quilombos, como foi o do Buraco do Tatu.

Nos quilombos havia roças para subsistência. Seus moradores dedicavam-se à pesca, à caça, e a trocas de mercadorias com os comerciantes locais e cantos da cidade de Salvador, utilizando o que se produzia no quilombo.

Com o respeito e a admiração adquiridos por outras lideranças africanas da Bahia, Obá Nijô conseguiu organizar em 1814 uma data escolhida, contando com a adesão de muitos guerreiros.

Na véspera da rebelião, Obá Nijô fez as obrigações designadas por Ifá e pelos ancestrais. Houve um xirê, um momento de confraternização com a intenção de fortalecer toda a comunidade, preparando-a com fé e a confiança necessária para seguir o caminho que levariam a todos a conquistar o direito pela liberdade.

Todos cantavam e dançavam com alegria.

Ayó, Ayó   Alegria, alegria!
Omo nilê ayó   Filhos da casa alegria!
Ayó, Ayó
Omo nilê ayó

Durante o xirê, Obá Nijô dançou, entrelaçando o corpo e o espírito com os movimentos do mar, de rios, dunas, floresta e do ronco da pedra Itapuã.

Foi tudo muito lindo!

Odara!

A coreografia dançada por Obá Nijô encorajou todos os guerreiros, dando-lhes o ânimo necessário para realizar a rebelião que tinha o sentido de tornar Itapuã um lugar para os africanos e seus descendentes serem livres, um quilombo.

No dia combinado para a rebelião, Obá Nijô ia à frente, liderando os guerreiros com a sua dança dramática, acompanhado das batidas da música da orquestra ritual dos alabês, com os atabaques comunicando-se com o sagrado, fazendo circular o axé.

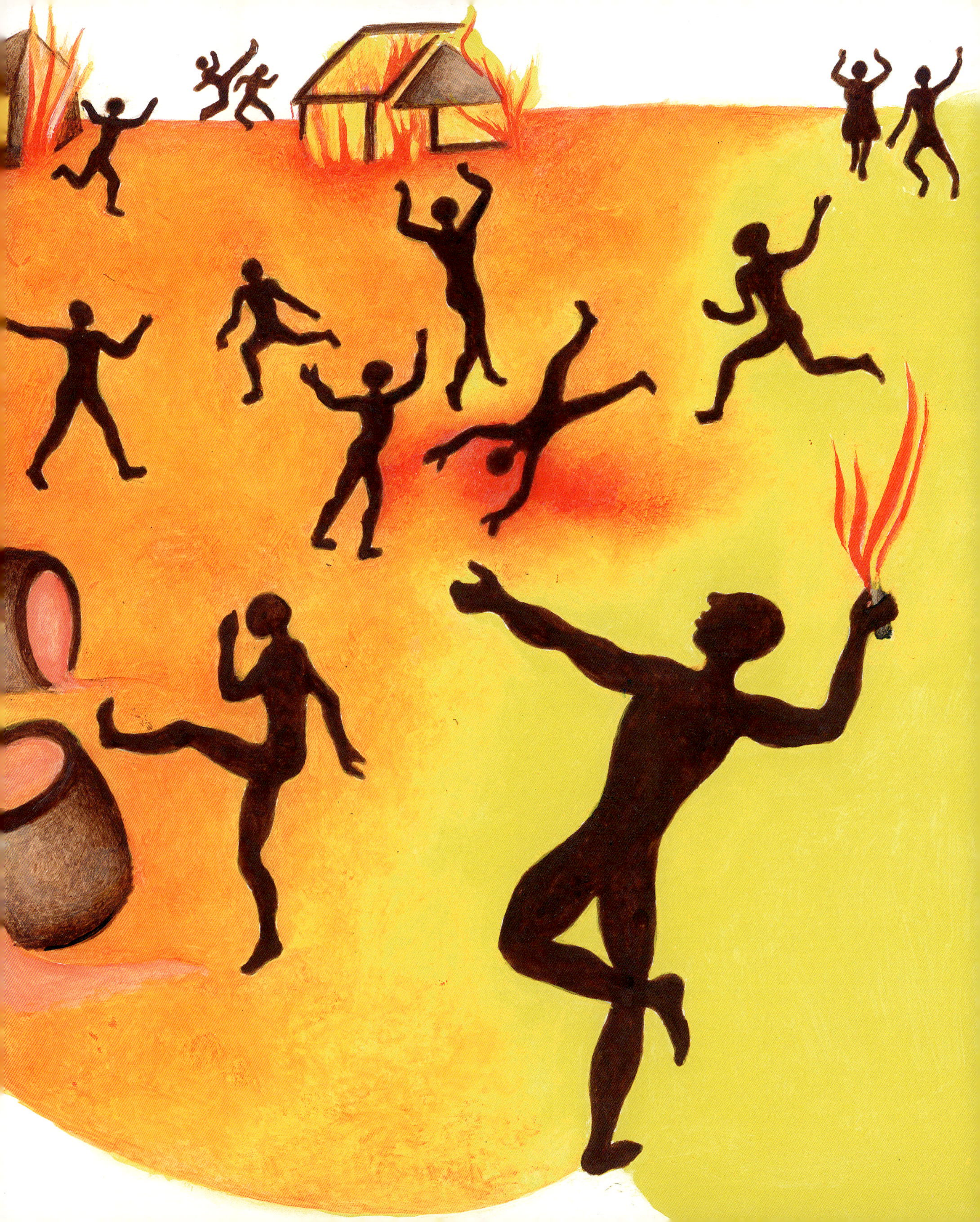

Os africanos organizaram um ataque surpresa, incendiando as armações pesqueiras, assustando e surpreendendo o feitor e os capitães do mato que administravam as armações de pé. Essa rebelião deixou os governantes da província da Bahia apavorados, porque Obá Nijô pretendia expandir a rebelião também para o Recôncavo.

Em Santo Amaro de Ipitanga, hoje município de Lauro de Freitas, as tropas do governo apareceram para acabar com a rebelião. Uma intensa batalha aconteceu em Ipitanga, pois os guerreiros de Obá Nijô não desistiam de continuar a lutar pela conquista da liberdade para eles e para toda sua gente.

A polícia conseguiu dispersar os guerreiros, que enfrentaram corajosamente o cerco. Alguns guerreiros foram capturados, outros condenados à morte ou deportados para prisões na África. Mas não podemos deixar de lembrar que muitos sobreviventes dessa rebelião organizaram outras rebeliões e quilombos em dunas, matas e roças que abraçavam Itapuã, e também outros lugares na Bahia e no Brasil, e isso durante por várias gerações.

E Obá Nijô?

Um lindo mistério envolve o destino do nosso rei das danças. Durante todo o cerco, Obá Nijô continuou dançando e mantendo a altivez e imponência dos reis guerreiros africanos, como ele bem aprendeu com os mais velhos.

Nas margens do Rio Joanes, em Santo Amaro de Ipitanga, ele avistou Oxum do lado esquerdo do rio e Iemanjá do lado direito, no caminho do oceano. As Iyás sorriram para ele, transmitindo-lhe a serenidade e o sossego das mães que acariciam seus filhos, dando-lhes a tranquilidade.

Obá Nijô fez a dança com outros guerreiros, transformando-se em filhos peixes das grandes mães ancestrais!

Magnífico!

Obá Nijô foi entrando no rio que desaguava no oceano, acompanhado ainda de alguns guerreiros. O rio e o mar foram a opção que ele encontrou sob a orientação das Yabás Oxum e Iemanjá. E lá iam eles dançando serenos, realizando movimentos rítmicos, dramatizando a correnteza das águas do rio e as ondas do mar. Cantando e dançando, confiando nesse caminho das águas que lhes daria condições de se reerguerem em outro lugar.

E lá iam eles...

SE SE KURUDU
AYABA LA NJO
Nossas veneráveis Mães estão dançando
Nossas veneráveis Mães estão dançando
Nossas Mães antigas estão dançando

As águas os levaram a uma grande gruta que ficava às margens do rio, camuflada na mata. Foi nessa gruta que Obá Nijô fez a sua morada e de seus guerreiros. Um lugar lindo pelo contraste das luzes que surgiam no encontro do sol com a água.

Essa gruta era chamada por Obá Nijô de Ilê Otá Omi (A casa da Pedra da Água) e nela se formou um novo quilombo, onde todos que nele habitavam continuaram aprendendo e buscando, através dos ensinamentos e da liderança do rei da dança, a liberdade do povo negro na Bahia. Desse quilombo saíram gerações de africanos e africanas que levaram o legado de Obá Nijô para vários cantos do Brasil, implantando quilombos, fontes de liberdade e afirmação da identidade profunda dos descendentes de africanos/as.

No período em que viveram na gruta, Obá Nijô e seus amigos organizaram um modo de vida comunitário planejado taticamente para ser uma fortaleza que preservasse a liberdade de todos/as os que foram habitar no quilombo.

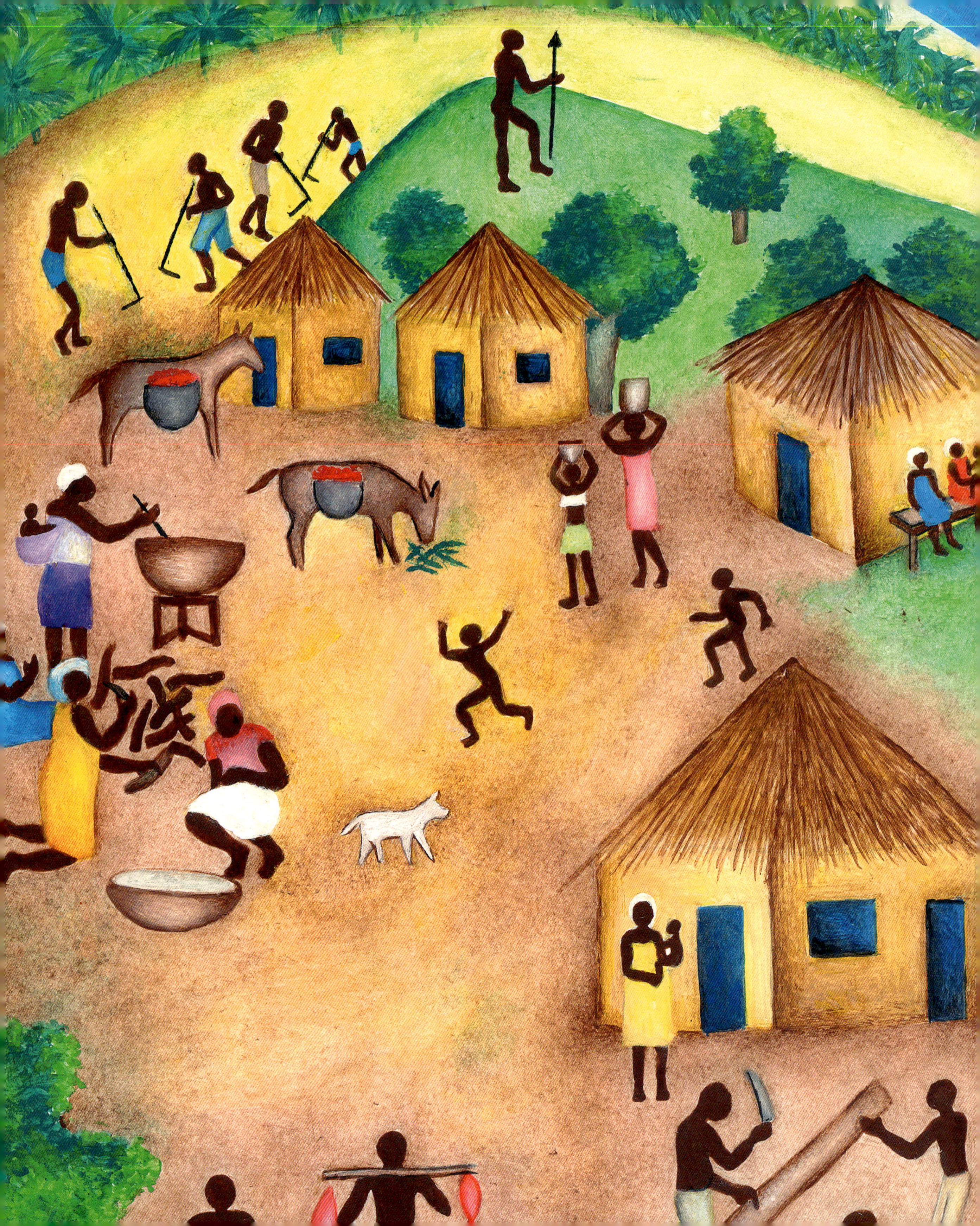

Formou-se uma pequena comunidade cujo traçado urbano estava organizado assim: uma área de lamaçal que cercava o quilombo e tinha a capacidade de engolir um homem, dificultando a entrada de invasores; uma estrada falsa e trincheiras disfarçadas por espinhos, lascas de madeira que, se entram na pele fazem doer, e são difíceis de tirar; um buraco muito fundo disfarçado por ramos de plantas com espinhos que servia como armadilha; tábuas que serviam como pontes utilizadas para travessias dentro do quilombo e também em direção ao mar, dando condições aos quilombolas de desenvolverem a atividade da pesca.

No quilombo Ilê Otá Omi, fundado por Obá Nijô, a população quilombola tinha acesso a muitos alimentos, frutos do mar, rio e terra. Tinham caju, manga, peixes de várias espécies, inclusive xaréu. Água em fartura para banho e para beber. As feridas da batalha foram curadas com remédios que Obá Nijô aprendeu a fazer na floresta com Ossâim. Os remédios eram feitos com folhas recolhidas e selecionadas de acordo com a sua serventia para qualquer precisão.

Durante muitos e muitos anos, gerações de africanos e seus descendentes aprenderam através do arokin, a história magnífica do rei que dançou pela liberdade do povo negro na Bahia.

Esta história é para que você não esqueça que nossos antepassados nunca desistiram de lutar pela liberdade, e procuraram de todas as formas assegurar que as gerações seguintes vivessem livres, com dignidade e orgulho da herança de civilização que os africanos implantaram no Brasil.

GLOSSÁRIO

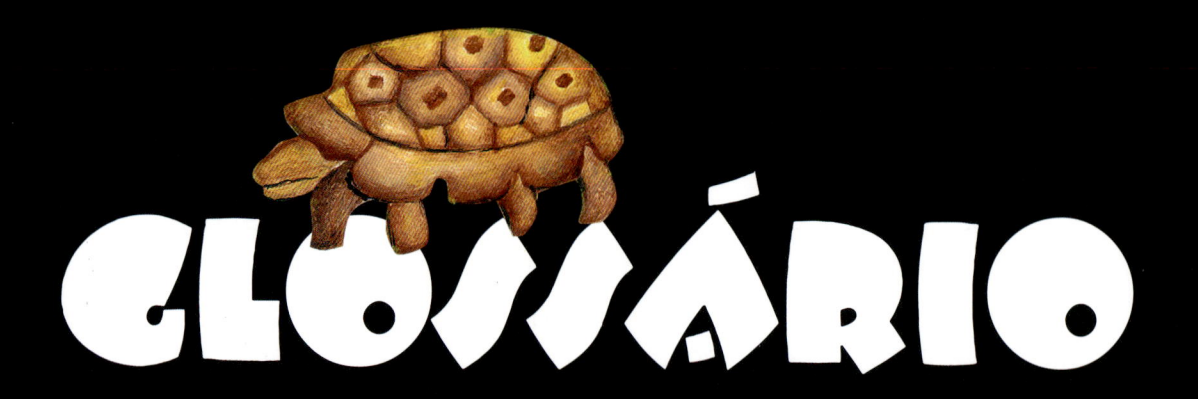

AXÉ. Força sagrada que assegura a vida no universo, a existência no mundo e os destinos dos seres humanos.

ANCESTRAIS. Aqueles que não morrem para as comunidades afro-brasileiras, pois serão sempre lembrados e cultuados por terem contribuído em vida, protegendo e fortalecendo as comunidades.

AGEMÓ. É o nome do camaleão na língua iorubá. É animal muito importante nas histórias que contam a origem do povo iorubá. É o elo entre Olorum e a humanidade, e tem a responsabilidade de criar harmonia em torno de tudo que o rodeia, usando o poder de transformar-se nas diversas cores que invocam a harmonia. Tem a sabedoria que transmite a paz, as alianças e até as negociações dos conflitos. As cores que irradia pelo mundo representam a conciliação e reconciliações.

AROKIN. Título daquele que detém a memória viva das tradições. É responsável pelas narrativas poéticas que contam sobre as origens de famílias, linhagens e dinastias dos reinos iorubás.

ALABÊ. É o título dos responsáveis pela execução da orquestra ritual das comunidades-terreiros das religiões afro-brasileiras. São os alabês que abrem os cânticos, cuidam dos instrumentos verificando se estão afinados e preparam os que estão iniciando o aprendizado musical. Os alabês, através dos toques dos instrumentos, fazem a ponte entre a humanidade, o orixá e os ancestrais.

ATABAQUES. São instrumentos da orquestra de percussão das comunidades afro-brasileiras. Os atabaques são três: run, rumpi e lé.

AYÓ. Significa alegria em iorubá.

ALVORECER. Amanhecer, nascer do dia.

AÚ. Um dos golpes muito utilizados na roda de capoeira, colocando as mãos no chão, girando com as pernas para o alto e caindo de pé.

ALFORRIA. Documento que dava à população escravizada o direito à liberdade. O homem ou mulher que conseguia a alforria era chamado de "forro".

ARMAÇÕES DE PESCA. Eram locais organizados desde o século XVII até meados do XIX, para pesca, caça às baleias e produção de seus derivados para abastecer o mercado local, nacional e internacional. Em Itapuã existiam várias, e uma delas pertencia a Manoel Ignácio da Cunha, um militar, comerciante, senador do Império e presidente da província da Bahia.

BABALAÔ. Alto sacerdote iniciado no conhecimento do culto do oráculo de Ifá. Sabe dos mistérios e segredos do oráculo de Ifá e é o elo entre Orunmilá e a humanidade.

BERIMBAU. É o principal instrumento na roda de capoeira. É um instrumento que os africanos de Angola trouxeram para o Brasil.

BABALORIXÁ. Alto sacerdote da tradição afro-brasileira. É um líder espiritual muito respeitado nas comunidades-terreiro, e sua responsabilidade é zelar pelo culto aos orixás, com a colaboração dos seus filhos e filhas.

CABAÇA. É um fruto retirado da árvore cabaceira. Quando fica seco, o fruto tem diversas utilidades, dentre elas como amplificador acústico para a confecção de instrumentos musicais como o berimbau e o xequerê.

CADÊNCIA. Repetição de movimentos que fazem a ginga na capoeira.

DENDEZEIRO. O dendezeiro é um coqueiro que veio do continente africano no século XVII e se adaptou ao litoral da Bahia. A culinária afro-brasileira utiliza o seu principal derivado que é o azeite de dendê.

EXU. É o orixá princípio do movimento que faz circular o axé. Sem Exu a vida para. É o patrono da comunicação.

ETNIA. É um agrupamento humano organizado por uma determinada língua, religião, maneira como utiliza e convive com o território em que habita, alimentos que consome, vestuário, arquitetura das casas, organização política, hierarquias, etc.

GANHADEIRAS. Eram mulheres afro-brasileiras que vendiam mercadorias nas ruas das cidades brasileiras no século XIX. Essa atividade era o ganho, que envolvia um pequeno comércio, e através dessa atividade elas ficaram conhecidas como ganhadeiras. As ganhadeiras escravizadas eram obrigadas a dar o lucro para o senhor, ou, a depender do acerto com seu proprietário, podiam ficar com uma pequena parte para comprar sua alforria. As ganhadeiras libertas se tornaram mulheres independentes economicamente, conseguindo manter uma vida digna e em condições de criar seus filhos.

IYA MI AGBÁ. São as mães ancestrais. Estão relacionadas à felicidade e à fortuna. São representadas por pássaros e peixes. A plumagem dos pássaros e as escamas dos peixes representam filhos, descendentes.

IFÁ. É um jogo sagrado que remete ao conhecimento dos destinos. Existem vários caminhos do destino que são chamados de odus e são revelados através do jogo de Ifá. Orunmilá é o orixá patrono do oráculo de Ifá.

LAGOA DO ABAETÉ. Localizada no bairro de Itapuã, em Salvador, Abaeté é uma lagoa de água escura, cercada por dunas de areia muito brancas, onde mulheres, descendentes de africanos, lavavam roupas para ajudar no sustento das suas famílias.

MARIÔ. É a folha do dendezeiro. É muito utilizada nas comunidades-terreiros e representa os ancestrais. A folha é desfiada e colocada nas portas e janelas da comunidade, representando os lugares que merecem o respeito sagrado.

MOQUEADO DE CARNE. É o modo de tratar a carne e colocá-la para secar, assar e assim obter maior durabilidade.

NANÃ. Orixá patrono das águas do interior da terra, dos lagos e lagoas. Detém o conhecimento sobre o mistério do interior da terra.

ODARA. É um conceito muito utilizado pelo povo iorubá, que significa bom e bonito ou útil e belo simultaneamente. Esse conceito está presente em tudo na vida! Nas comunidades afro-brasileiras, por exemplo, um alimento é bom e bonito não apenas porque é saboroso e nutritivo, mas porque na sua apresentação foram consideradas as cores, texturas, sabores, odores e arrumação dos elementos que compõem o alimento, considerando as características de cada orixá. Para ser odara, o alimento tem que comunicar ao mesmo tempo sua utilidade e beleza. Isso exigirá de quem prepara o alimento um conhecimento profundo milenar que veio da África.

ODUDUA. Responsável pela criação da Terra. Detém o conhecimento sobre o mistério contido no interior da terra na geração dos seres. Foi o primeiro orixá a pisar na Terra e a marca da sua pisada está em Ilê Ifé na Nigéria.

ORIXÁ. Para o povo nagô, orixás são princípios e forças que regem e organizam o universo. Cada princípio tem qualidades e tem poderes, que também influenciam os destinos dos seres humanos. No Brasil, esses princípios, que vieram da África, são conhecidos como: Exu, Ogum, Oxóssi, Ossâim, Xangô, Oyá (Iansã), Oxum, Iemanjá, Nanã Buruku, Obaluaiê, Oxumaré, Odudua e Oxalá.

OSSÂIM. Orixá patrono da vegetação e conhecedor dos mistérios e segredos das folhas, sementes, cascas dos troncos das árvores, de todos os remédios que podem ser encontrados na floresta.

OXALÁ. Também conhecido como Obatalá, é o orixá patrono do ar e responsável pela criação dos seres humanos e árvores na Terra. Detém o conhecimento sobre o mistério do ar que sustenta a vida dos seres humanos.

OXÓSSI. Orixá patrono dos caçadores. Conhecedor dos mistérios da caça nas matas virgens. Aquele que assegura o alimento para a comunidade através da caça e também identifica os melhores lugares para a fundação de cidades.

OXUM. Orixá patrono da fecundação e da gestação. Princípio das águas correntes e quedas-d'água. Cuida dos recém-nascidos e das crianças.

QUILOMBO. O quilombo nunca foi para o africano (a) um lugar de "negros fugidos", e sim um espaço de liberdade e de direito para manter a dignidade da vida de famílias e comunidades. Os quilombos não se estruturavam apenas visando enfrentar a repressão das milícias e capitães do mato. Havia interesse também de fazer circular o conhecimento milenar africano e os modos de convivência que vieram da África.

QUILOMBO BURACO DO TATU. No século XIX, existiu em Itapuã um quilombo muito bem-organizado que ficou conhecido na história do Brasil como Buraco do Tatu. Este quilombo se manteve durante vinte anos encorajando muitas revoltas de africanos escravizados, incomodando o sistema de produção das armações de pesca. O nome do quilombo talvez tenha sido inspirado no tatu, animal que tem um movimento de defesa que o faz enrolar ficando com a forma de uma bola diante de uma situação perigosa. Sabemos muito pouco sobre o quilombo Buraco do Tatu, mas há um registro que tenta reproduzir a planta desse quilombo, aliás, um dos poucos sobre quilombos no Brasil. Essa planta do Buraco do Tatu foi feita para os arquivos de polícia na época, indicando como era o espaço do quilombo no dia em que ele foi surpreendido pela repressão do regime escravista, a 2 de setembro de 1763.

REBELIÃO. Uma das maneiras que os africanos escravizados utilizavam para enfrentar a sociedade escravista, desobedecendo às ordens que os mantinham aprisionados e sem o direito à liberdade. Todos os africanos, no contexto da escravidão, perdiam seus nomes próprios africanos e recebiam um nome católico português. Com a multiplicação importante de quilombos na Bahia, muitas rebeliões aconteciam, tornando cada vez mais difícil o controle da cidade pelo governo escravista.

REBELIÃO DE 1814 EM ITAPUÃ. No início do século XIX, a população da Bahia era predominantemente africana, e em sua maioria de jovens sequestrados pelo tráfico escravista, uma população escrava formada mais por homens do que mulheres. No início do século XIX, os quilombos de Itapuã abrigavam africanos que saíam da escravidão das armações de pesca. Os líderes da rebelião de 28 de fevereiro de 1814 em Itapuã foram Francisco e sua esposa Francisca. Essa rebelião foi muito bem-organizada, pois os 250 africanos envolvidos foram sendo mobilizados através de viagens que o casal fez fizeram pelo Recôncavo e demais vilas e freguesias de Salvador. A rebelião começou com um incêndio na armação pesqueira de propriedade de Manuel Ignácio da Cunha, se estendendo para outras armações nos arredores de Itapuã e surpreendendo o governo escravista, que não sabia que os rebelados estariam indo em direção ao Recôncavo da Bahia. Em Santo Amaro de Ipitanga (hoje município de Lauro de Freitas) as tropas do governo aparecem e dispersaram a rebelião, depois de uma sofrida batalha. É importante registrar que muitos sobreviventes dessa rebelião criaram outros quilombos em matas e roças, e, apesar da repressão à rebelião de 28 de fevereiro, Itapuã ainda era considerada uma área geográfica importante para africanos(as) que se recusavam à escravidão. Mesmo estando ainda na mira das investigações da polícia, no mesmo ano, em maio de 1814, outra tentativa de rebelião aconteceu em Itapuã.

RECÔNCAVO. Uma região que envolve a Baía de Todos os Santos e uma parte do interior dessa baía. É uma região muito importante na história dos povos africanos na Bahia.

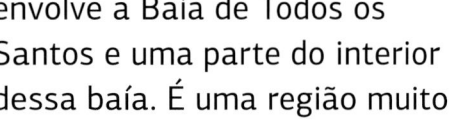

XEQUERÊ. Um instrumento musical feito com a cabaça, que é toda vestida por uma rede de sementes ou contas que, na orquestra de percussão são agitadas nas mãos, produzindo som. O ritmo ijexá, característico de Oxum, é produzido na agitação do xequerê.

XIRÊ. Fazer coisas boas, fazer felicidade. Momento de festa em que as comunidades afro-brasileiras celebram cantando e dançando para os orixás e ancestrais na terra.

IEMANJÁ. Orixá princípio das águas do rio e do mar. Detém o mistério da gestação feminina. Patrona dos pescadores. Seu nome Iye-omo-já significa mãe dos filhos-peixes.

IORUBÁ. É um conjunto de tradições culturais de povos que usam a língua iorubá originária da atual Nigéria e Benin. Nesse conjunto de tradições, destaca-se o conhecimento milenar africano que envolve: língua, religião, pensamento matemático, arquitetura, engenharias, narrativas históricas, astronomia, navegação, fundação de cidades, poemas, vestuário, esculturas, música, dança, agricultura, pesca, uma infinidade de conhecimentos que os africanos trouxeram para o Brasil e que a língua oirubá ajudou a manter até os nossos dias. Os povos iorubás que vieram para o Brasil são conhecidos como nagôs.

Narcimária do Patrocínio Luz é doutora em Educação, pesquisadora no campo da Educação, Comunicação e Comunalidade Africano-Brasileira, além de coordenadora do Programa Descolonização e Educação – PRODESE, grupo de pesquisa que vem se destacando pelas iniciativas junto às comunidades tradicionais na Bahia.

Ronaldo Martins é licenciado em Desenho e Artes Plásticas pela Universidade Federal da Bahia – UFBA, mestre em Educação e Contemporaneidade pela Universidade do Estado da Bahia – UNEB, pesquisador do PRODESE – Programa de Descolonização e Educação do CNPQ/UNEB e professor de Artes em uma escola publica de Salvador. Paralelo à atividade de professor, Ronaldo desenvolve, a mais de vinte anos, estudos e exposições sobre a cultura afro-brasileira. Seus quadros e desenhos fazem parte de acervos privados e públicos no Brasil, França e Alemanha.

◈

Este livro foi impresso em novembro de 2014, na Impressul, em Jaraguá do Sul.
O papel de miolo é o couché 150g/m2 e o de capa cartão 250g/m2.

◈